喜羊羊与灰太狼
Pleasant Goat and Big Big Wolf

7 火攻羊村

童趣出版有限公司编　　人民邮电出版社出版

北京

主要人物介绍

喜羊羊： 族群里跑得最快的羊，乐观、好动，永远带着微笑。他总能识破灰太狼的阴谋诡计，拯救羊羊族群的生命，是羊氏部落的小英雄。

美羊羊： 美女羊，心灵手巧。她还是营养学家、美容师、模特儿……一切与"美"有关的事她都精通，是大家跟风模仿的对象。

懒羊羊： 最聪明的小肥羊之一，最喜欢的运动是睡觉。他聪明机智，而且临危不乱，总是一副大智若愚、举重若轻的样子。

沸羊羊： 最健壮的羊，也是最鲁莽的一只羊。经常是一副很酷的样子，总爱持反对意见，以为自己英伟不凡、天下无敌，其实很多时候都无能为力。

慢羊羊： 羊村村长，最年长的羊。博览群书，平时最爱搞小发明，是个乌龙发明家，但危急时又能派上用场。动作总是慢吞吞的，常把身旁的羊急死。

暖羊羊： 暖羊羊的心肠跟她的名字一样，充满阳光和温暖。重量级的身躯和无比善良的性格展现出来的魅力，总是让人大跌眼镜。

灰太狼： 住在青青草原对面的森林里，是个"聪明"又倒霉的坏蛋，爱钻研抓羊技巧，一有机会就去骚扰羊部落。他永远想偷羊吃，却永远被羊羊们打败。

红太狼： 灰太狼的老婆，贪婪、虚荣、狠毒。虽然长得一般却总打扮得华丽高贵，自以为天下最美。总是逼着灰太狼去抓羊，自己却坐享其成。

哎哟……

老天保佑保佑我啊……

怎么了？

刷！

红……红太狼你还没有睡啊？

又失败了？

是呀！

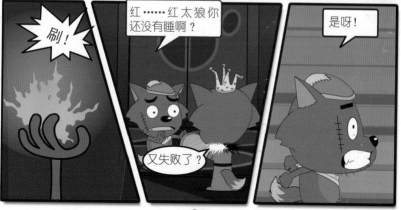

天啊！着火了！

我拍，我拍，我拍熄你！

哈哈……我想到了！

我们火攻羊村，来一顿烤全羊！

这是个美丽的夜晚……

好美味的青草啊！

让我来!

喜羊羊,你捡的柴怎么老生不出火来啊?

呼呼呼······

喜羊羊,你太棒了!

怎么我就不行呢。

天气预报,风向一分钟以后就变,他们很快就会变成烤羊肉串了。

啊哈!这些羊在野营呀,等着瞧吧。

我们怎么办?

孩子们!

真香!真香!

慢羊羊村长又来扫兴了。

孩子们,野营要注意防火安全,如果引起羊村着火……

你就知道吃!

村长吃烤芦荟吗?

小火星开始飘散……

已经过了十分钟了!

这不是我的错。现在的天气反常嘛!

什么味道?

什么什么味道?

啊!糟了!

笨蛋,谁用嘴吹灭火!

呼呼呼!

我来！

哎呀，烫死我了！

好累……

你离我远点！

啊？！

烫啊烫啊烫啊！

我们真的应该听慢羊羊村长的话。

真的会有火灾呀！

哼！火有什么了不起的！

哈哈哈哈！

呀！火！

嗞！

等等我，等等我！

快跑啊！

哎呀，快灭火！

终于扑灭了……

不行，还有那边！

不行啦！好热啊，我快要被烤熟了。

跑啊，快跑！

呜……村长！

火头是从对岸打过来的，看来是灰太狼干的！

哈哈……老婆，再过一会儿我们就可以去吃烤全羊了。

这么多，一顿哪里吃得完！看来我们得挖个地窖。

说得太对了！

继续发射！

咻！

大家快到河边来用水弄湿自己，这样就不会被烧伤了。

懒羊羊，你就知道睡，什么都不懂吧！

一起动手吧！

噢……好吧。

灭火咯！灭火咯！

嘿嘿，看我的！这还有点意思啊……

嗞……

好啊！有惊无险！

太好了，火灭了！

村长，我去看看灰太狼在什么地方！

啊!

嗖!

灰太狼太可恨了,大伙小心!

太过分了!
教训他……

轰!

教训他,教训他!

快跑啊!!!

哈哈哈哈!嘿嘿嘿嘿……

我们去
对付他!

村长,灰太狼在天上!

午后温暖的阳光照耀着青青草原……

懒羊羊，还睡呢……

太热了……

嗞……

嘭……

喔！

快跑，灰太狼来了！

嘻嘻嘻！原来沸羊羊也这么胆小呀。

原来是假的，是弹簧！

喜羊羊你讨厌——

美羊羊，这是送给你的！

谢谢你！

咚！

啊……哎哟！

呜——喜羊羊太过分了！

到底谁过分呀？

啦啦啦啦……

灰太狼，你不抓羊，还睡懒觉？！

礼物？是我的吗？啊！今天是我的生日！

他竟然还记着呢……这里面到底是什么呢？

嗖！

啊……是铁夹子！

哎呀！

老婆，你要干什么？

女人真是奇怪……

沙沙……

让我先来看一看!

喜羊羊,站住!

亲爱的小肥羊,你们跑不掉了!

喜羊羊太喜欢搞恶作剧了。

他老是这样,也不让人家好好睡觉。

当我们是傻瓜呀！

打烂他的道具，看他还敢不敢捉弄人！

回家睡觉去啦！

好可怕的肥羊，难道我这个造型还不够可怕？

这样够恐怖了吧？

啊！我想到了！

唉，真无聊啊，下次玩什么好呢？

嗯？

33

谁抄袭我的创意，太笨了吧？

哈……哈……

哈哈，这个样子怎么能吓人？傻瓜！

这样吓人吧！

这招已经过时了……哟，还会说话，做得挺像的呀！

真厉害，连弹簧都没有？

太欺负人了，跟我回去做午餐！

进去吧！

嗵！

喂，玩笑不要开得太过分……

34

祝你生日快乐……

有办法啦!

终于到家了。

红太狼,我成功啦!

回来了?我的礼物呢?

这么隆重!

这份礼物你一定会喜欢的!

36

我们认识吗？

你到底是谁？！你们是什么关系？

我也不知道有什么关系。

她好恐怖啊！

小灰灰，她就是你常说的那个又老又凶的丑八怪红太狼吧？

什么？！你敢说我的坏话？

你怎么知道的？

他可没有说过这样的话。

他只是叫你老巫婆而已。

对，我没有……

太棒了!

什么?灰太狼,你今天死定了!

加油……

哎呀!

你为什么要这样说我!

我没有啊,我什么都不知道。

她是谁?!

本来里面装的是喜羊羊……

你到底是谁啊?

哎哟!

再见啦！

你看到了吧？是喜羊羊——

那还不快追。

跑快点！

喜羊羊，这次你逃不掉了。

嘿哟！

笨蛋灰太狼，你能追上我吗？

加速度！

嗖……

冲啊！

啊？！又来了！

轰轰……

啊……

老婆，别烫我了！

轰隆隆……

冲啊！

什么东西？

我就不相信，你喜羊羊能跑多远？！

可恶的喜羊羊，又让他跑了！

哼！

真是失败啊！

嗖！

咦？老婆，你跑那么快干什么？

啊呀！

嗡嗡嗡……

救命啊！

哼！

嘿嘿嘿，大家好！

对不起，是我错了。

为了表示歉意，这是我送给你们的礼物，请大家原谅！

礼物？

变相怪狼

狼堡••••••

哎哟！

啊••••••

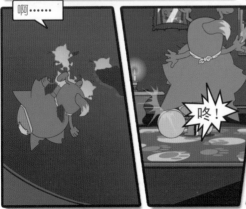

咚！

数十年保鲜，但是遇高温会溶化……

经橡胶和面粉的DNA合成，吃了可以令身体随意组合。

不管了，吃了再说。

啊！

怎么有点晕？

还不去抓羊。

你还偷吃东西？！

让我试试！

嘿！

我飞！

嗷······真美啊！

垂直降落！

啪！

唔······香啊！对面有好肥的小羊······

好戏开始了。

我可是吃了变形方便面的!

变!

我进来了!

进出自如啊!

快换班了。我马上就可以去参加美羊羊的生日晚会了。

对呀,不知道有什么好吃的?

有全羊宴呀。嘻嘻……

谁？出来……

我。

灰太狼？！

兄弟们，一起上！

嗖！嗖！嗖！

我闪！

乒！

好像有谁要开生日晚会吧？嘻嘻······

啊！

美羊羊，什么时候吃蛋糕呀？

生日快乐，美羊羊。

谢谢！吃蛋糕可能要等一下。还要等等沸羊羊呢，他巡逻去了。

咦？巡逻队换班的时间不是早过了吗？

来了！

嘭！

小心……怪物……灰……太狼。

灰太狼？不可能吧？他是怎么进来的？

我怕……

什么声音？

嗵！

我来啦！

下一个是谁？

灰太狼！

懒羊羊，我这招怎么样啊？

啊？！

你以为还有地方躲吗？

哈哈！

这就晕了？我还没碰到你呢。

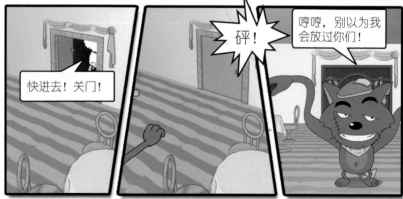

我又来了！什么？！

嘿！我打！

臭小子，别跑！

我出来了，你来捉我呀……

嘿哟……

我马上就能抓住你！

什么？

哎呀！别咬我！

放手啊！哥们儿……

到了！

可恶的喜羊羊，你已经被包围了，马上投降吧！

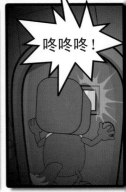

咚咚咚！

嘿嘿，我来了！

咦？躲到哪儿去了？

在这儿呢!

站住!

我可知道怎么对付你，关门!

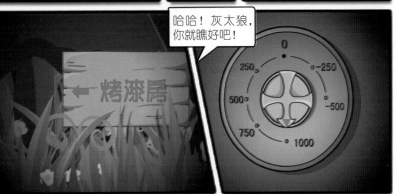

哈哈! 灰太狼，你就瞧好吧!

←烤漆房

放我出去，放我出去!

我热……

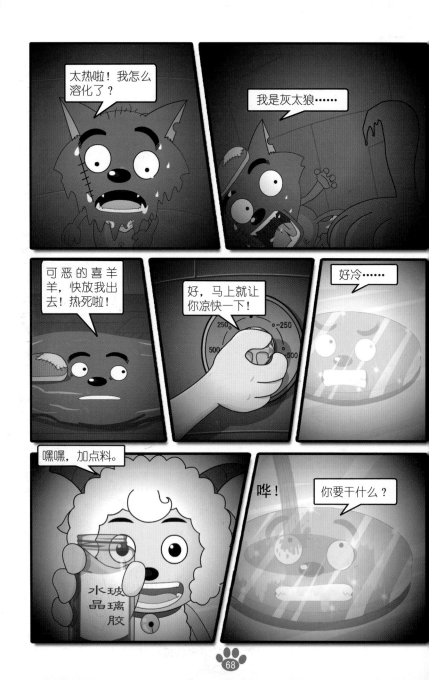

呼吸的决战

红太狼，我回来了……

啊！

今天又是杂草沙拉？

吃肉？你抓到羊了，在哪儿？

在哪儿啊？

不，午饭吃肉！

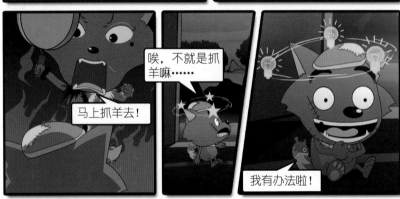

啊？

我成功啦！

这就是狼族历史上最伟大的发明——防咬潜水套装。

有了它，我再也不怕食人鱼了。哈哈哈……

哎呀——

你给我下来！

哎呀，我不能放手！不要再吸了！

呼呼呼呼……

终于走了……

看什么看？想咬我呀？

完了！下面的铁皮被吸走了！

哎呀——

呀——

我要回家！

哗啦啦！

村长，您这个抽水机太不环保了。

就是马力大了一点，这个东西以后还是放到仓库里好了。

就是嘛，村长有些发明还真没什么用！

嗯！

原来又是这群可恶的小羊！

肥羊们，做我的晚餐吧！

嗯，你们倒是教了我一个好办法！

狼堡……

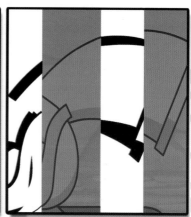

天啊，我灰太狼实在是太聪明了。哈哈哈——

啊哈哈！

哎哟！

天黑了。

老婆，就要完成了。

你拿的什么呀？

吸气管呀……

嗯，我们铺了两条管子吗？

你拿的是我的尾巴！

不会吧！

快跑！

还要加工一下。

成功了！

有了这个涡轮增压强力吸风器，可以把吸力增大一万倍！

是吗？我倒要试试！

吸！

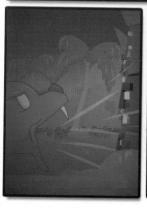

乒！啪！

铛！

呼！呼！

老婆，快烧开水。我觉得肥羊被吸进来啦！

开水来了！

哗啦啦

难道……我又失败了？！

你哪次是成功的？赶紧想办法！

我又有办法啦！

这帮孩子们怎么会在这儿？

咦？

我怎么会睡在这里？

好奇怪？

咚！

呼……

不行，再睡会儿。

灰太狼，你进来让我教训教训你！

好，今天我就答应你的要求！

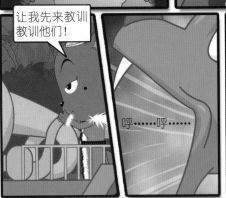

让我先来教训教训他们！

呼……呼……

不要啊！

谁来救救我们！

哐当

哈哈，我们来了！

唔，设计得不错，但是外观太难看了，还不上油漆……

快跑啊，村长——

哎呀，还有懒羊羊呢！

懒羊羊……

呼！

怎么了？

呼呼！

哈哈哈哈！

继续前进出发！

怎么办？越来越近了！

嘿嘿，让我再吸一口！

呼⋯⋯

可恶的喜羊羊，你跑不掉啦——

只剩下我们了！村长，想想办法啊！

对了！

村长，你快、快把仓库里的抽水机搬出来吧！

笨蛋灰太狼，我在这儿……

我要你当我的午饭——

呼呼……

呼呼呼……

哎呀哎呀……

唉，我没气了！

你让开，看我的！

啪！嗖！

村长，快来呀——

喜羊羊，我来啦！

村长，救我——

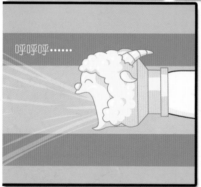

呼呼呼……

呼呼呼……

我吸！

啊？！

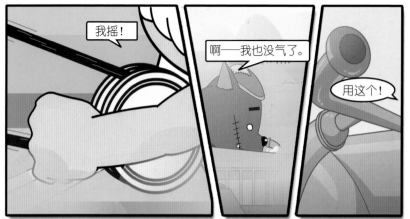

我摇！

啊——我也没气了。

用这个！

分两个接口，咱们可以一起吸了！

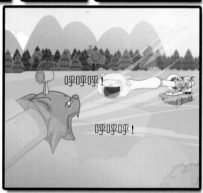

呼呼呼！

呼呼呼！

我们被吸动了！

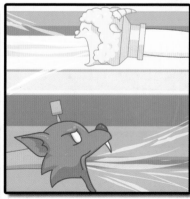

哐当!

村长,我想到了!我们倒过来!

啊?!你是说向外吹气啊!

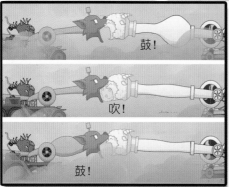

鼓!

吹!

鼓!

砰!

这是怎么了?!

啊......

再见!

完

图书在版编目(CIP)数据

喜羊羊与灰太狼. 7，火攻羊村 / 童趣出版有限公司编.
—北京：人民邮电出版社，2007. 6
ISBN 978-7-115-16344-8

Ⅰ. 喜… Ⅱ. 童… Ⅲ. 图画故事—中国—当代 Ⅳ. I287. 8

中国版本图书馆CIP数据核字（2007）第082251号

喜羊羊与灰太狼7
火攻羊村

出 版 人：侯明亮
图书策划：范　萍
责任编辑：莫　杨
封面设计：徐　莉
排版制作：北京时间造物文化传播有限公司
根据广州原创动力动画设计有限公司制作的动画片改编　www.22dm.com

出版发行：童趣出版有限公司编
　　　　　人民邮电出版社出版
地　　址：北京东城区交道口菊儿胡同7号院（100009）
印　　刷：北京三益印刷有限公司
经　　销：新华书店总店北京发行所
开　　本：787×1092　1/32
印　　张：3
版　　次：2007年6月第1版　2010年3月第19次印刷
字　　数：75千
书　　号：ISBN 978-7-115-16344-8/G
定　　价：10.00元

www.childrenfun.com.cn
读者热线：010-84180588
经销电话：010-84180552